Vin

les plus belles
citations

Sélection établie par Dominique Ayral

Conception et réalisation : GRAPH'M, France
ISBN : 2-7528-0257-9
Code éditeur : T00257
Dépôt légal : avril 2006
Imprimé en France par France Quercy

www.fitwaypublishing.com

Fitway Publishing – 12, avenue d'Italie – 75627 Paris cedex 13, France

les plus belles
citations

dans la même collection

premières phrases de romans célèbres

les plus belles phrases érotiques

les plus belles déclarations d'amour

sagesses du monde, les plus belles pensées

avant-propos

Les minimust de fitway font le maximum pour vous faire découvrir l'essentiel d'un sujet lorsqu'il devient littéraire. Élaborés par des spécialistes, passionnés et curieux, les minimust de fitway sont le viatique idéal pour tromper une attente ou partir quelque part, le petit cadeau spontané à succès garanti, le compagnon de la poche arrière du jean, le petit livre que l'on a envie de glisser dans le sac de sa copine, la veste de son amoureux, le cartable de son adolescent, la boîte aux lettres de ses parents. Conçus pour le plaisir hédoniste de la parole fulgurante, de la citation phare et de la phrase qui demeure, les minimust de fitway prétendent à une certaine forme de littérature, extraite avec sagacité, originalité, savoir. Ils illuminent la journée, donnent le sourire et l'envie de lire les œuvres dont ils sont issus. Ils sont aussi mignons que précieux. Faites passer.

L'éditeur

N.B. : vous trouverez en fin de volume quelques pages blanches pour noter vos propres réflexions et trouvailles sur le sujet. La pensée aime aussi circuler par courrier et courriel. Bonne lecture.

sommaire

avant-propos 5

introduction 9

les citations 15

références bibliographiques 113

index des auteurs cités 121

On le dit effervescent quand il est champagne. Blanc ou rouge sec, on l'affirme tranquille. S'il a de la douceur en bouche, c'est un porto, un muscat, un moelleux, un liquoreux. L'écrivain, lorsqu'il choisit l'un de ces vins pour enrichir son œuvre, s'en sert comme on jette une bouteille à la mer. Au fil des pages, le vin se perd dans l'infini de toutes les émotions possibles.
Anne Desbaredes pousse la porte d'un café et demande un verre de vin. Cela lui est fatal. Dès cet instant, elle va boire. Chaque jour, dans ce même lieu, elle boit

lentement, verre après verre de pommard, à l'amour qu'elle ne pensait pas rechercher, à la passion qui naît, puis la consume. Ce n'est pas modéré. Ce n'est pas chantant. Ça se nomme *Moderato Cantabile*. C'est une mélopée dédiée à l'inconnu du bar. Le vin devient un prétexte monotone et triste, une forme de beauté, chez Marguerite Duras.

Tantôt fil conducteur d'un brûlant désir, tantôt objet de transition de la vie à la mort, le vin peut être une pause coquine dans le verre de Casanova ou de Sarah

Waters. Il est aussi le vin de l'insouciance de *La Promesse de l'Aube* (Romain Gary).
Il coule religieusement, en un nectar subtil, dans la *Bible* et dérive de la Grèce d'Homère, à la région des Pouilles de Laurent Gaudé, jusqu'à l'Angleterre de Virginia Woolf.
Le vin se fiche éperdument du temps qui passe et à venir. Il traverse les siècles, devenant cette bouffée d'oxygène qui apaise les maux de la maladie, de la solitude et de l'ennui et qui triomphe avec humour, dérision ou cynisme de la gêne, de la pédanterie, de l'adultère et de toutes les

peurs. D'un coup de fouet, le vin frappe, ravageur, à la manière de Michel Houellebecq. Rempart éphémère de l'oubli ou activateur du souvenir avec Louis-Ferdinand Céline, William Styron, ou Murakami Ryû, il glisse dans l'horreur de la guerre et de ses atrocités.

Par son absence, ou sa présence. Par le manque qu'il crée. Dans l'alcoolisme où il plonge, le vin interpelle. Il y a le vin des *Fleurs du Mal* de Charles Baudelaire. Il y a celui de Charles Bukowski dans *Au sud de nulle part*. Tout les oppose. Tout les unit.

Le vin donne à voir et à envisager les choses autrement. Son expression assemble avec justesse le passé au présent, et à l'avenir. Elle justifie le récit de l'incessant tourbillon de la vie et de ses sentiments, merveilleux ou malheureux.
Alors, pas une seconde à perdre ! En près de cent extraits de la littérature internationale, embarquez-vous pour une croisière à bord des sens. Humez, regardez et dégustez l'esprit du vin. Lisez. Sans modération.

J'avais envie de rire,
de siffler et de parler
aux passants.
Le champagne et
mes vingt ans donnaient
des ailes à mon tricycle.

Romain Gary

Tes seins, qu'ils soient
des grappes de raisin,
Le parfum
de ton souffle, celui
des pommes;
Tes discours,
un vin exquis!

Cantique de la Bible

Une bouteille d'âge, surtout
si elle est d'une bonne année,
sera traitée comme
une œuvre d'art antique.

Kaikô Takeshi

Nous avions une provision
de vin rouge portugais.
Le meilleur. À huit dollars
le litre, chez le marchand d'Irving
Place. Un bouchon bleu. Le vin
bouillonnait comme une boue
rougeâtre. Nous buvions le litre.
Le bleu du bouchon déteignait
sur nos lèvres et les encroûtait.
Je léchais le dos de Diane,
il devenait bleu.

Jerome Charyn

Elle avait parfaitement monté
son coup pour ne pas manquer
sa dernière chance d'être enceinte :
elle a poché des homards
du Maine, les a glacés, puis servis
en entrée avec un montrachet.
[...] Ensuite elle a servi des cailles
marinées puis grillées, et enfin
une côte de bœuf à l'ail et au poivre
avec un grands-échezeaux,
et sa dernière bouteille de
romanée-conti.

Jim Harrison

Aujourd'hui l'espace
est splendide !
Sans mors, sans éperons,
sans bride,
Partons à cheval sur le vin
Pour un ciel féerique
et divin !

Charles Baudelaire

Ton nombril
forme une coupe,
Que les vins
n'y manquent pas !

Cantique de la Bible

Un jour ou l'autre quand
vous serez lassé de
Londres, venez à Treadley,
et exposez-moi votre
philosophie du plaisir en
buvant un des excellents
bourgognes que j'ai
la chance de posséder.

Oscar Wilde

O would the Atlantic
were all champagne
Bright billows of champagne[*]*.*
(Oh, si tout l'Atlantique était
du champagne
De brillantes vagues
de champagne.)

John Dos Passos

**en anglais dans la traduction française.*

– Vite ! Vite ! Un verre ! Un jet crémeux de mousse jaillit du goulot, me mouilla les doigts, m'éclaboussa les cuisses (je portais toujours ma petite tunique blanche).

Sarah Waters

Le dernier soir, je pleurais et je criais, alors les amiraux ont eu pitié de moi. Ils ont rempli la baignoire de champagne, ils m'ont plongée dedans – on était très familiers, vous voyez – et après ils ont bu tout le champagne en mon honneur et ça les a soûlés. Et puis, ils ont éteint les lumières...

Nikos Kazantzaki

Les garçons, silencieux
et sérieux, Bacchus loué
pour la circonstance,
s'employaient au rituel
de verser dans les flûtes
de cristal la boisson qui
maintient allègre
le rythme d'une soirée.

Stella C. Ferraz

Jacques la prit par
le milieu du corps,
et l'embrassa
fortement ;
sa rancune n'avait
jamais tenu contre
du bon vin et
une belle femme [...]

Denis Diderot

Elle me dit en buvant
du scopolo que j'en avais
encore deux flacons, et deux
bouteilles de muscat. Je lui ai
répondu que je les lui laissais
en qualité d'excellentes
pour augmenter son feu dans
ses débauches nocturnes.

Giovanni Giacomo Casanova

Le goulot se glissa auprès du verre avec la prudence du chat. La bouteille n'allait pas être agitée, le vin troublé, la lie soulevée...

Kaikô Takeshi

Une goutte de vin rouge coulait lentement sur la paroi du verre et Tereza disait : « Tomas, je n'y peux rien. Je comprends tout. Je sais que tu m'aimes. Je sais bien que tes infidélités n'ont rien de dramatique... »

Milan Kundera

Avant de sortir, tout seul à
la maison, j'ai bu à votre santé
devant la glace un verre de vin
du Rhin, un riesling,
j'ai ouvert la bouteille exprès,
le reste sera perdu.
Tu vois comme je m'en réjouis,
laisser perdre une bonne
bouteille pour un petit toast
solitaire et matinal.

Javier Marias

Je buvais l'un après l'autre
sept à huit verres de porto.
Aussitôt, au lieu
de l'intervalle impossible
à combler entre
mon désir et l'action,
l'effet de l'alcool traçait
une ligne qui
les conjoignait tous deux.

Marcel Proust

– Mais si c'était
un débauché, ma fille,
il aurait porté le vin
comme tous ces autres.
Son ivresse fait son éloge.

Honoré de Balzac

Nous étions seuls.
Justine se versa un verre
de vin. Puis, au moment
de le porter à ses lèvres,
elle me fit un clin d'œil
et déclara à ma grande
surprise : « La vérité finira
par éclater. »

Lawrence Durrell

Tu as tort de ne point prendre de vin, Tatiana, disait-il, ça console de toutes les misères. Regarde, nous sommes seuls, abandonnés comme des chiens, et je crache sur tout, tout m'est égal tant que j'ai du vin…

Irène Némirovsky

Bois du vin,
car tu dormiras
longtemps
sous la terre
sans compagnon,
sans ami,
sans femme.

Omar Khayyam

Anne Desbaresdes boit, et ça ne cesse pas, le pommard continue d'avoir ce soir la saveur anéantissante des lèvres inconnues d'un homme de la rue. Le vin coule dans sa bouche pleine d'un nom qu'elle ne prononce pas. Cet événement silencieux lui brise les reins.

Marguerite Duras

C'était la pause. Sur tout cela régnait un silence palpable, comme si le port avait été vitrifié sous l'effet de la chaleur. Nulle activité. La tête lui tournait, sans doute le vin blanc. Chez les Lebon, ses oncle et tante, le vin était réservé aux adultes.

Patrick Renaudot

Du vin
dans un gobelet,
ça doit être infect !

Banana Yoshimoto

Vin

Sujet
de discussion.

Gustave Flaubert

Si quelque chose devait me manquer, ce ne serait pas le vin mais l'ivresse.

Antoine Blondin

Ils ont noyé leur chagrin dans le vin.

Jacques Prévert

Des hommes, debout, par groupes, buvaient devant le comptoir, toussant, crachant, les yeux battus, achevant de s'éveiller dans le vin blanc et dans l'eau-de-vie.

Émile Zola

Ils parlaient chevaux,
turf, femmes, racontaient
sur leurs maîtres
des histoires sinistres
– à les entendre,
ils étaient tous pédérastes –
puis, quand le vin exaltait les
cerveaux, ils s'attaquaient
à la politique...

Octave Mirbeau

Il dîna d'une barquette de loup
au cerfeuil Monoprix Gourmet,
qu'il accompagna d'un
Valdepeñas médiocre. Après
hésitation il déposa le cadavre
de l'oiseau dans un sac en
plastique qu'il lesta d'une bouteille
de bière, et jeta le tout dans le
vide-ordures. Que faire d'autre?
Dire une messe?

Michel Houellebecq

Il était suant et glacé.
Il dut décoiffer une
bouteille de vin cachetée
en en frappant le goulot
avec le canon de
son pistolet. Mais le vin
était bon, avec une forte
saveur de raisin.

Jean Giono

– Vous n'avez pas une bouteille de vin
à me vendre ? que je demandai. [...]
– Y en a plus ! qu'elle revint
m'annoncer, la fille, les Allemands ont
tout pris... Pourtant on leur en avait
donné de nous-mêmes beaucoup... [...]
– Y en a plus une seule alors ?
insistai-je, espérant encore, tellement
j'avais grand-soif, et surtout de vin
blanc, bien amer, celui qui réveille
un peu. J'veux bien payer...

Louis-Ferdinand Céline

Y a plus de picrate.
Faut attendre
ce soir. J' me demande
si y a des gens
qui comprennent
les poivrots.

Charles Bukowski

Nul ne peut me comprendre. Un seul
Parmi ces ivrognes stupides
Songea-t-il dans ses nuits morbides
À faire du vin un linceul ?

Charles Baudelaire

[...] saisissant les bouteilles par le col elle les lança contre le chambranle de la porte, le champagne explosa, le chien se mit à hurler de frayeur. Emerence jeta les bouteilles dans la poubelle, lava le sol avec le vin et le champagne répandus, à l'odeur on se serait cru dans un bistrot.

Magda Szabò

Moi, je l'écoutais
toujours. J'avais bu
près d'un litre
de vin et j'avais très
chaud aux tempes.

Albert Camus

Et le vin glacé, collant
comme un gant aux nerfs
délicats qui tremblent
à la surface de ma gorge,
coule, à mesure que je bois,
dans une caverne voûtée,
avec son parfum de musc,
sa couleur de raisin
et de feuilles de vigne.

Virginia Woolf

Dans la maison de son enfance
à Cracovie, Sophie avait
toujours vu boire du vin, [...].
Mais la guerre, qui avait balayé
tant d'autres choses
dans sa vie, l'avait privée
d'un petit luxe aussi humble
que le vin, et depuis lors,
elle ne s'était jamais souciée
de chercher à en boire [...]

William Styron

Le vin, la plus aimable
des boissons, soit
qu'on la doive à Noé, qui
planta la vigne, soit qu'on
le doive à Bacchus,
qui a exprimé le jus de
raisin, date de l'enfance
du monde [...]

Anthelme Brillat-Savarin

Puis il se mit un sourire
aux lèvres, comme
s'il s'amusait tout seul.
Il prit une bonne gorgée
de vin et regarda
l'autre table, comme
s'il avait attiré l'attention
de quelqu'un là-bas...
Il sourit... Il murmura sans
un son vers des taches
invisibles sur les murs.

Tom Wolfe

Jamais
homme noble
ne hait le bon vin.

François Rabelais

*Et à l'automne,
lorsque vous cueillez le
raisin de vos vignes pour
le pressoir, dites en votre
cœur: «Moi aussi je suis
une vigne et mon fruit
sera cueilli pour pressoir,
Et comme du vin nouveau
je serai placé dans
des vases éternels.»*

Khalil Gibran

Et je les écoutais,
assis au bord des routes,
Ces bons soirs de septembre
où je sentais des gouttes
De rosée à mon front,
comme un vin de vigueur [...]

Arthur Rimbaud

« Prenons du vin.
Vous aimez le chianti ?
Abby claqua des doigts
en direction d'un serveur.
Apportez-nous une
bouteille de chianti.
Ça fortifie », ajouta-t-elle
pour Thérèse.

Patricia Highsmith

Si le vin est servi avec modération, accompagnant un repas familial, si l'on admire sa couleur et son arôme, s'il est apprécié pour ses saveurs, et estimé pour toutes les années de compétence qu'il a fallu pour le faire, le vin est alors plus une nourriture qu'une drogue.

Lewis Perdue

Raffaele posa
également cinq
bouteilles de vin
du pays. Un vin
rouge, rugueux, et
sombre comme
le sang du Christ.

Laurent Gaudé

DIEU, TOUCHÉ DE REMORDS, AVAIT FAIT LE SOMMEIL ; L'HOMME AJOUTA LE VIN, FILS SACRÉ DU SOLEIL !

Charles Baudelaire

C'est un vin
à boire en dégustant
l'Histoire

Kaikô Takeshi

Ils avalaient à pleine gorge
tous les vins grecs qui sont
dans les outres, les vins de
Campanie enfermés dans
des amphores, les vins de
Cantabres que l'on apporte
dans des tonneaux,
et les vins de jujubier,
de cinnamome et de lotus.

Gustave Flaubert

Mon expérience de médecin m'a fait voir que l'ivresse est une chose fâcheuse pour l'homme, et je ne voudrais pas pour mon compte recommencer à boire, ni le conseiller à d'autres, surtout s'ils sont encore alourdis par la débauche de la veille.

Platon

[...] j'apprécie moi-même à l'occasion un verre de bon vieux vin lequel est à la fois nourrissant et fortifiant et possède des vertus laxatives (surtout un de ces bons bourgognes qui m'inspirent une parfaite confiance) [...]

James Joyce

– Je crois que je suis un peu ivre.
– Ne vous inquiétez pas. Buvez. Nous avions besoin de vin. Mais prenez de celui-là qui est noir. Il ressemble à un vin de chez moi et contient du tanin. C'est ce qu'il faut pour résister à la marche.

Jean Giono

[...] une coupe de Samos bue à midi, en plein soleil, ou au contraire absorbée par un soir d'hiver dans un état de fatigue qui permet de sentir immédiatement au creux du diaphragme son écoulement chaud [...] est une sensation presque sacrée [...].

Marguerite Yourcenar

[...] ON DRESSA, PLEINS DE VIN JUSQU'AUX BORDS, LES CRATÈRES, POUR BOIRE AUX IMMORTELS, AUX DIEUX D'ÉTERNITÉ, ET, PLUS QU'À TOUS LES AUTRES, LA FILLE DE ZEUS, À LA VIERGE AUX YEUX PERS.

Homère

On nous servit
des escargots et des tripes,
dont je fis semblant de
manger ; puis
un insuffisant poulet.
Mais après l'écrasante
chaleur du jour, on avait
plus soif que faim et
les vins excellents coulèrent
avec abondance.

André Gide

[...] les excès,
les malheurs, les
crimes sont sans doute
possibles avec
le vin, mais nullement
la méchanceté, la perfidie
ou la laideur.

Roland Barthes

*Gavin fit tourner
le vin dans son verre,
projetant de petites
tâches de sang
sur la nappe. « Je le dis
au sens propre ...
c'est un assassin. »*

Will Self

Nous avons des goûts éclectiques, nota Mrs Allerton. Vous ne buvez que du vin, Tim du whisky-soda et moi j'ai essayé toutes les marques d'eau minérale. Tiens! Murmura Poirot en la regardant avec attention. C'est une idée, ça...

Agatha Christie

[...] et la gaieté allait croissant
avec le nombre de verres de vin.
Quand sauta le bouchon de
la première bouteille
de champagne, le père Roland,
très excité, imita avec sa bouche
le bruit de cette détonation,
puis déclara :
« J'aime mieux ça qu'un coup
de pistolet. »

Guy de Maupassant

L'assassin est ici, cela ne fait aucun doute ! Mais que cela ne vous coupe donc pas l'appétit, monsieur le curé ! Le cadavre est dans la maison aussi et cela ne nous empêche pas de manger ... Un peu de vin pour monsieur le curé, Albert ! ...

Georges Simenon

Cependant madame Magloire avait servi le souper ; une soupe faite avec de l'eau, de l'huile, du pain et du sel, un peu de lard, un morceau de viande de mouton, des figues, un fromage frais et un gros pain de seigle. Elle avait d'elle-même ajouté à l'ordinaire de M. l'évêque une bouteille de vieux vin de Mauves.

Victor Hugo

*Il me regarda
me couper un morceau de
fromage et le manger.
Il était extraordinairement
fort. Mon palais, ou
ce qu'il en restait, avait été
parfaitement préparé
et le vin me parut du nectar.*

Peter Mayle

Zorba roula des yeux,
ouvrit tout grands ses
bras, comme s'il voulait
embrasser le monde.
– Qu'est-ce qui se passe,
patron ? s'écria-t-il stupéfait.
On boit un petit verre de vin
et voilà le monde qui perd
la boule. Tout de même,
ce que c'est la vie, patron !

Nikos Kazantzaki

Elle m'offrit aussi du vin,
pas en bouteille, mais qu'elle
versa d'une dame-jeanne,
je le bus, je n'aime pas
l'alcool, mais cette nuit-là,
je devais aller jusqu'au bout,
sinon, j'étais venue pour rien.

Magda Szabò

Un serveur m'avait devancé, une simple bouteille de champagne sur son plateau, mais ni coupe, ni flûte. Une fois que le comte eut terminé de se brosser les dents et de se gargariser au Perrier-Jouët 1937, il s'abandonna aux mains expertes du barbier.

Pierre Assouline

Je dors à n'importe quelle heure… au petit déjeuner et au déjeuner je mange des plats extravagants… je bois du vin… Malsain tout ça !

Anton Pavlovitch Tchekhov

Le vin sonnait dans son verre, la viande claquait entre ses dents. En même temps il saluait à droite, à gauche, des connaissances de tous les côtés.

Marc Chagall

Les hommes qui vieillissent dans la solitude sont beaucoup moins à plaindre que les femmes dans la même situation. Ils boivent du mauvais vin, ils s'endorment et leurs dents puent.

Michel Houellebecq

Qu'ils sont donc
mal vêtus ! Mais, nus,
qu'ils seraient laids !
Je meurs avant le dessert
si je ne commande pas
du champagne.

André Gide

J'aimais tous les vins sauf
les vins doux ou de dessert
et les vins trop épais, et
je n'aurais jamais pu penser
qu'en partageant avec Scott
quelques bouteilles de mâcon
blanc, sec et très léger, cela
déclencherait en lui un
processus chimique qui
le rendrait cinglé.

Ernest Hemingway

Il regardait son verre, son verre plein de vin lumineux et clair, dont l'âme légère, l'âme enivrante s'envolait par petite bulles venues du fond et montant, pressées et rapides, s'évaporer à la surface ; il le regardait avec une méfiance de renard qui trouve une poule morte et flaire un piège.

Guy de Maupassant

Mais au bout du compte,
demanda Porthos, qu'est-ce donc
que cette Milady ?
– Une femme charmante, dit
Athos en dégustant un verre de
vin mousseux. Canaille d'hôtelier !
s'écria-t-il, qui nous donne du
vin d'Anjou pour du vin de
Champagne, et qui croit que nous
nous y laisserons prendre !

Alexandre Dumas

– Je ne supporte l'alcool
que s'il s'agit d'un bon vin
ou d'un cognac.
Le vin était un Château
Latour 1976, la musique,
un morceau de Xavier Cugat,
Miami Beach Rumba.

Murakami Ryû

[Sophie] ignorait tout de
la mystique des vins français,
il était donc inutile que Nathan
lui précise qu'il s'agissait d'un
château-margaux, ni que c'était
un 1937 – la dernière des grandes
années d'avant-guerre...

William Styron

Imagine-toi que Goretta m'a envoyé du bordeaux 1924 et du bourgogne 1926. Ce sont d'assez bonnes années et il a cru que ça passerait. Mais moi je vais exiger du saint-émilion 1928, du château lafite 1928 également, et du beaune 1929, qui sont de très très grandes années, je dirais même des années suprêmes.

Albert Cohen

Quentin dressait l'inventaire de sa cave. [...] : les Beychevelle étaient décimés, les pomerols exigeaient du renfort ; il faudrait rappeler les Haut-Brion 1945, mobiliser les Chambertin classe 57, si jeunes encore...

Antoine Blondin

Le très munificentissime régaleur voudrait-il permettre à un régalé dont la plus extrême indigence n'a d'égale que sa colossale et incommensurable soif de terminer une libation chèrement commencée ? Laissez-nous le temps de souffler. Hôtelier, hôtelier, avez-vous du bon vin, tara-bara ? Pia, compère, eune ptiotine goutte pour veir.

James Joyce

En un moment le vin
de Bordeaux circula,
les convives s'animèrent,
la gaieté redoubla.
Ce fut des rires féroces,
au milieu desquels éclatèrent
quelques imitations des
diverses voix d'animaux.

Honoré de Balzac

TOUT HOMME SERT D'ABORD LE BON VIN ET, QUAND LES GENS SONT IVRES, LE MOINS BON. TOI, TU AS GARDÉ LE BON VIN JUSQU'À PRÉSENT !

L'Évangile selon saint Jean

*Il y en avait pour les yeux
de la tête, mais Don Carlo
avait les moyens. [...]
nous commençâmes par
des champagnes cocktails,
passâmes par un bon chablis
et un chambertin subtil, nous
rafraîchîmes d'une blanquette
de Limoux au dessert [...].*

Anthony Burgess

– Van Patten, dis-je, as-tu vu
la bouteille de champ que
Montgomery nous a fait porter ?
– [...] Laisse moi deviner.
Du Perrier-Jouët ?
– Super banco, *dit Price.*
Non millésimé.
– Quel putain de rat, conclut
Van Patten.

Bret Easton Ellis

Vous feriez beaucoup
mieux de manger une
volaille pochée avec moi,
dit Blaine. Une volaille
pochée avec une sauce
d'huître et une bouteille
de bon bordeaux.

Patrick O'Brian

On nous servit du Petrus 1960 et malgré moi bien que je le trouve passé, je fus impressionné, ne pouvant m'empêcher de calculer le prix de chaque rasade qui me tombait dans la gorge.

Pascal Bruckner

[...] ici, les foudres s'alignaient, détaillant toute la série des portos, des vins âpres ou fruiteux, couleur d'acajou ou d'amarante, distingués par de laudatives épithètes : « old port, light delicate, cockburn's very fine, magnificent old Regina »...

Joris-Karl Huysmans

Après le champagne
et l'agitation de la nuit,
j'étais fatiguée
et assez mal en point.
Je demandai :
– Il faut vraiment que
je me lève ?

Sarah Waters

Elle avait bu beaucoup
de champagne, et
pendant sa chanson, elle
avait décidé, sans raison
apparente, que tout était
triste, très triste –
si bien qu'en chantant,
elle pleurait.

F. Scott Fitzgerald

Soyez philosophes
comme moi, messieurs,
mettez-vous à table
et buvons ; rien ne
fait paraître l'avenir
couleur de rose comme
de le regarder à travers
un verre de chambertin.

Alexandre Dumas

TA LIQUEUR ROSE,
Ô JOLI VIN !
SEMBLE
FAITE DU SANG DIVIN
DE QUELQUE NYMPHE
BOCAGÈRE ;
TU PERLES AU BORD DÉSIRÉ
D'UN VERRE À CÔTES,
COLORÉ
PAR LES TEINTES DE
LA FOUGÈRE.

Gérard de Nerval

– Puis-je avoir une tasse
de café ? J'ai... bu une
bouteille de vin entière.
J'ai mal au cœur. [...]
– Du vin doux ?
s'informa-t-il.
– Du porto.
– En quelque sorte,
tu as baissé ta garde.
Tu voulais te découvrir.

Philip K. Dick

Vous prendrez bien
un verre de porto,
n'est-ce pas, mesdames ?
Apportez,
dit-il à Georges qui
entrait, trois verres de
porto Sandeman et
des sandwiches, des
sandwiches au caviar…

Irène Némirovsky

Pourtant Martine sursauta en
apercevant un chargement de
bouteilles qui arrivait dans la cuisine.
Elle prit une des bouteilles
et dit à voix basse :
– Qu'y a t-il là-dedans, Babette ?
Ce n'est pas du vin, j'espère.
– Du vin, Madame ? s'écria Babette.
Oh ! non ! c'est du clos-vougeot 1846.

Karen Blixen

Que diriez-vous, mes bons seigneurs, d'un pâté de pigeonneaux dodus, de quelques escalopes de venaison, d'une selle de veau, d'une poule d'eau bardée de lard croustillant, d'une hure de sanglier aux pistaches, d'une jatte de fine crème, d'un clafoutis et d'un flacon de vieux vin du Rhin ?

James Joyce

Le vin et la paresse
Se partagent
mon cœur.
Si l'une
est ma maîtresse,
L'autre
est mon serviteur.

Pierre-Augustin de Beaumarchais

Cela s'appelait « le vin bourru ».
Mal affiné, il conservait la bourre
de l'enfance, une mousse
un peu rugueuse, un duvet,
une matière sous la langue
qui n'allait pas durer longtemps,
quelque chose d'inachevé,
de provisoire, comme si le vin
nouveau-né se protégeait,
un moment encore, contre
les agressions du monde.

Jean-Claude Carrière

LE VIN, C'EST LE CHANT DE LA TERRE.

Kaikô Takeshi

Le vin de la liberté aigrit vite s'il n'est, à demi bu, rejeté au cep.

René Char

références bibliographiques

p. 15 Romain Gary, *La Promesse de l'aube*, Gallimard, 1994.
p. 16 *La Bible de Jérusalem*, Cantique 7 9-10, Desclée de Brouwer, 1984.
p. 17 Kaikô Takeshi, *Romanée-Conti 1935*, Philippe Picquier, 1998.
p. 18 Jerome Charyn, *Poisson-chat*, Le Seuil, 1983.
p. 19 Jim Harrison, *Dalva*, 10/18, 2000.
p. 20 Charles Baudelaire, « Le Vin des amants » in *Les Fleurs du mal*, Pocket, 2004.
p. 21 *La Bible de Jérusalem*, Cantique 7-3, Desclée de Brouwer, 1984.
p. 22 Oscar Wilde, *Le Portrait de Dorian Gray*, Pocket, 1998.
p. 23 John Dos Passos, *Manhattan Transfer*, Gallimard, 1998.
p. 24 Sarah Waters, *Caresser le velours*, 10/18, 2003.
p. 25 Nikos Kazantzaki, *Alexis Zorba*, Omnibus, 1996.
p. 26 Stella C. Ferraz, *Il faut que je te voie*, Double Interligne, 2001.
p. 27 Denis Diderot, *Jacques le Fataliste*, Pocket, 1998.
p. 28 Giovanni Giacomo Casanova, *Histoire de ma vie*, Gallimard, 1986.
p. 29 Kaikô Takeshi, *Romanée-Conti 1935*, Philippe Picquier, 1998.

p. 30 Milan Kundera, *L'Insoutenable Légèreté de l'être*, Gallimard, 1989.
p. 31 Javier Marias, *Un cœur si blanc*, Rivages, 1996.
p. 32 Marcel Proust, *Sodome et Gomorrhe*, Gallimard, 1985.
p. 33 Honoré de Balzac, *Le Père Goriot*, Pocket, 1998.
p. 34 Lawrence Durrell, *Le Quatuor d'Alexandrie, Cléa*, Le Livre de Poche, 1983.
p. 35 Irène Némirovsky, *Les Mouches d'automne*, Grasset, 2005.
p. 36 Omar Khayyam, *Les Roubaïates*, Seghers, 1965.
p. 37 Marguerite Duras, *Moderato Cantabile*, éd. de Minuit, 1980.
p. 38 Patrick Renaudot, *Le Port d'Alger*, Le Rocher, 2000.
p. 39 Banana Yoshimoto, *N.P.*, Rivages, 1997.
p. 40 Gustave Flaubert, *Le Dictionnaire des idées reçues*, Gallimard, 1991.
p. 41 Antoine Blondin, *Un singe en hiver*, Gallimard, 1991.
p. 42 Jacques Prévert, « La Batteuse » in *Paroles*, Gallimard, 1976.
p. 43 Émile Zola, *Le Ventre de Paris*, Pocket, 1999.
p. 44 Octave Mirbeau, *Le Journal d'une femme de chambre*, Pocket, 1997.
p. 45 Michel Houellebecq, *Les Particules élémentaires*, Flammarion, 1998.

p. 46 Jean Giono, *Le Hussard sur le toit*, Gallimard, 1995.
p. 47 Louis-Ferdinand Céline, *Voyage au bout de la nuit*, Gallimard, 1980.
p. 48 Charles Bukowski « Deux Pochards » in *Au Sud de nulle part*, Le Livre de Poche, 1982.
p. 49 Charles Baudelaire, « Le Vin de l'assassin » in *Les Fleurs du Mal*, Pocket, 2004.
p. 50 Magda Szabò, *La Porte*, Viviane Hamy, 2003.
p. 51 Albert Camus, *L'Étranger*, Gallimard, 1978.
p. 52 Virginia Woolf, *Les Vagues*, Le Livre de Poche, 1986.
p. 53 William Styron, *Le Choix de Sophie*, Gallimard, 2004.
p. 54 Anthelme Brillat-Savarin, *Physiologie du goût*, Hermann, 1981.
p. 55 Tom Wolfe, *Le Bûcher des vanités*, Le Livre de Poche, 1990.
p. 56 François Rabelais, *Gargantua*, Pocket, 1998.
p. 57 Khalil Gibran, *Le Prophète*, Casterman, 1986.
p. 58 Arthur Rimbaud, « Ma Bohème » in *Poésies*, Pocket, 1981.
p. 59 Patricia Highsmith, *Carol*, Le Livre de Poche, 2000.
p. 60 Lewis Perdue, *Le Paradoxe Français*, A. Barthélemy, 1995.
p. 61 Laurent Gaudé, *Le Soleil des Scorta*, Actes Sud, 2004.
p. 62 Charles Baudelaire, « Le Vin des chiffonniers » in *Les Fleurs du Mal*, Pocket, 2004.

p. 63 Kaikô Takeshi, *Romanée-Conti 1935*, Philippe Picquier, 1998.
p. 64 Gustave Flaubert, *Salammbô*, Pocket, 1998.
p. 65 Platon, *Le Banquet*, Pocket, 1992.
p. 66 James Joyce, *Ulysse*, Gallimard, 2000.
p. 67 Jean Giono, *Le Hussard sur le toit*, Gallimard, 1995.
p. 68 Marguerite Yourcenar, *Mémoires d'Hadrien*, Gallimard, 1980.
p. 69 Homère, *L'Odyssée*, La Découverte, 2004.
p. 70 André Gide, *Le Ramier*, Gallimard, 2002.
p. 71 Roland Barthes, *Mythologies*, Le Seuil, 1970.
p. 72 Will Self, *Dorian*, L'Olivier, 2005.
p. 73 Agatha Christie, *Mort sur le Nil*, Le Livre de Poche, 2001.
p. 74 Guy de Maupassant, *Pierre et Jean*, Pocket, 2004.
p. 75 Georges Simenon, *Maigret, L'Affaire Saint-Fiacre*, in *Tout Simenon* t. 17, Omnibus, 2003.
p. 76 Victor Hugo, *Les Misérables*, t. 1, Pocket, 1999.
p. 77 Peter Mayle, *Une année en Provence*, Le Seuil, 1996.
p. 78 Nikos Kazantzaki, *Alexis Zorba*, Omnibus, 1996.
p. 79 Magda Szabò, *La Porte*, Viviane Hamy, 2003.
p. 80 Pierre Assouline, *Lutetia*, Gallimard, 2005.
p. 81 Anton Pavlovitch Tchekhov, *Oncle Vania*, Le Livre de Poche, 2005.

p. 82 Marc Chagall, *Ma vie*, Stock, 2003.
p. 83 Michel Houellebecq, *Les Particules élémentaires*, Flammarion, 1998.
p. 84 André Gide, *Les Caves du Vatican*, Gallimard, 1980.
p. 85 Ernest Hemingway, *Paris est une fête*, Gallimard, 2000.
p. 86 Guy de Maupassant, *Pierre et Jean*, Pocket, 2004.
p. 87 Alexandre Dumas, *Les Trois Mousquetaires*, Presses de la Cité, 2002.
p. 88 Murakami Ryû, *Ecstasy*, Philippe Picquier, 2003.
p. 89 William Styron, *Le Choix de Sophie*, Gallimard, 2004.
p. 90 Albert Cohen, *Belle du Seigneur*, Gallimard, 2004.
p. 91 Antoine Blondin, *Un singe en hiver*, Gallimard, 1991.
p. 92 James Joyce, *Ulysse*, Gallimard, 2000.
p. 93 Honoré de Balzac, *Le Père Goriot*, Pocket, 2005.
p. 94 *La Bible de Jérusalem*, Les Noces de Cana, L'Évangile selon saint Jean (2-10), Desclée de Brouwer, 1984.
p. 95 Anthony Burgess, *Les Puissances des ténèbres*, Acropole, 1981.
p. 96 Bret Easton Ellis, *American psycho*, 10/18, 2005.
p. 97 Patrick O'Brian, *Le Revers de la médaille*, Presses de la Cité, 2004.
p. 98 Pascal Bruckner, *L'Amour du prochain*, Grasset, 2005.

p. 99 Joris-Karl Huysmans, *À Rebours*, Pocket 2004.
p. 100 Sarah Waters, *Caresser le velours*, 10/18, 2003.
p. 101 F. Scott Fitzgerald, *Gatsby le Magnifique*, Le Livre de Poche, 1983.
p. 102 Alexandre Dumas, *Les Trois Mousquetaires*, Presses de la Cité, 2002.
p. 103 Gérard de Nerval, « Gaieté » in *Odelettes*, Librio, 2001.
p. 104 Philip K. Dick, *La Bulle cassée*, 10/18, 2005.
p. 105 Irène Némirovsky, *Le Bal*, Grasset, 2002.
p. 106 Karen Blixen, *Le Dîner de Babette*, Gallimard, 2004.
p. 107 James Joyce, *Ulysse*, Gallimard, 2000.
p. 108 Pierre-Augustin de Beaumarchais, *Le Barbier de Séville*, Pocket, 1999.
p. 109 Jean-Claude Carrière, *Le Vin bourru*, Pocket, 2001.
p. 110 Kaikô Takeshi, *Romanée-Conti 1935*, Philippe Picquier, 1998.
p. 111 René Char, « Pause au château cloaque » in *Retour Amont*, Gallimard, 1966.

index des auteurs cités

Anonyme (La Bible de Jérusalem) 16, 21, 94
Assouline, Pierre 80
Balzac, Honoré de 33, 93
Barthes, Roland 71
Baudelaire, Charles 20, 49, 62
Beaumarchais, Pierre-Augustin de 108
Blixen, Karen 106
Blondin, Antoine 41, 91
Brillat-Savarin, Anthelme 54
Bruckner, Pascal 98
Bukowski, Charles 48
Burgess, Anthony 95
Camus, Albert 51
Carrière, Jean-Claude 109
Casanova, Giovanni Giacomo 28
Céline, Louis-Ferdinand 47
Chagall, Marc 82
Char, René 111
Charyn, Jerome 18
Christie, Agatha 73
Cohen, Albert 90
Dick, Philip K. 104
Diderot, Denis 27
Dos Passos, John 23
Dumas, Alexandre 87, 102
Duras, Marguerite 37
Durrell, Lawrence 34
Easton Ellis, Bret 96
Ferraz, Stella C. 26
Fitzgerald, F. Scott 101
Flaubert, Gustave 40, 64
Gary, Romain 15
Gaudé, Laurent 61
Gibran, Khalil 57
Gide, André 70, 84
Giono, Jean 46, 67
Harrison, Jim 19

Hemingway, Ernest 85
Highsmith, Patricia 59
Homère 69
Houellebecq, Michel 45, 83
Hugo, Victor 76
Huysmans, Joris-Karl 99
Joyce, James 66, 92, 107
Kazantzaki, Nikos 25, 78
Khayyam, Omar 36
Kundera, Milan 30
Marias, Javier 31
Maupassant, Guy de 74, 86
Mayle, Peter 77
Mirbeau, Octave 44
Némirovsky, Irène 35, 105
Nerval, Gérard de 103
O'Brian, Patrick 97
Perdue, Lewis 60
Platon 65
Prévert, Jacques 42
Proust, Marcel 32
Rabelais, François 56
Renaudot, Patrick 38
Rimbaud, Arthur 58
Ryû, Murakami 88
Self, Will 72
Simenon, Georges 75
Styron, William 53, 89
Szabò, Magda 50, 79
Takeshi, Kaikô 17, 29, 63, 110
Tchekhov, Anton Pavlovitch 81
Waters, Sarah 24, 100
Wilde, Oscar 22
Wolfe, Tom 55
Woolf, Virginia 52
Yoshimoto, Banana 39
Yourcenar, Marguerite 68
Zola, Émile 43

Vin
les plus belles
citations

Vin
les plus belles
citations

Vin
les plus belles
citations

Vin
les plus belles
citations

Vin
les plus belles
citations

www.fitwaypublishing.com